DANS, L'APRÈS-MIDI CARDIAQUE

La maison Prise de Parole se veut animatrice des arts littéraires chez les francophones de l'Ontario; elle se met donc au service de tous les créateurs littéraires franco-ontariens.

La maison d'édition bénéficie de subventions du Conseil des Arts de l'Ontario et du Conseil des Arts du Canada.

Conception de la couverture: 50 Carleton et Associés.

Photo de l'auteur: Alfred Boyd.

Copyright © Ottawa, 1985
Éditions Prise de Parole,
C.P. 550, Succursale B, Sudbury (Ontario) P3E 4R2

ISBN 0-920814-77-8

DANS, L'APRÈS-MIDI CARDIAQUE

Patrice Desbiens

Prise de Parole
1985

TABLE DES POÈMES

*À la mémoire de Richard Brautigan,
Soeur Sourire et Paillasse.*

«La grande misère linguistique des amoureux d'aujourd'hui:
incapables de dire, d'écrire et de décrire,
ils prennent une photo…»

GÉRALD ANTOINE, professeur à Paris III et président du centre
d'information et de documentation jeunesse dans l'Express du
27 septembre 1980…

CASSE-TÊTE

Toi à Paris
        moi à Sudbury

Je t'imagine à Paris
belle et terriblement
canadienne et
énervée
      avec
au fond de tes yeux glacés
l'Atlantique électrique
et le ciel bleu de la France
dans tes cheveux

Ici
le vent coupe comme une
scie circulaire et
c'est décembre et presque
Noël et
c'est pas un cadeau

Je t'imagine à Paris
belle et terriblement
cassante et
enivrée par
tout ce que tu touches par
tout ce qui te touche
        avec
au creux de ton sourire
          derrière
tes lèvres blessées d'amour
un petit cri de joie
qui ne veut pas sortir
qui ne veut pas mourir

Ici
je marche sous le soleil froid
et je t'imagine dans la chambre
à coucher de ma mémoire
Tu te peignes dans le miroir
tu te dépeins dans le miroir
Tu me parles en français
je te réponds en anglais
et je me demande soudainement
dans quel pays je suis rendu

Ici
je te nomme dans la nuit
je te vois dans les yeux
je te vois dans le corps
des autres
Ici
je t'imagine avec le vent de la France
sous ta robe
Ici
l'espoir a des oreilles de chien et
les oreilles se dressent au son
de ton nom

Toi à Paris
            moi à Sudbury

Je te vois marchant les rues de
la ville lumière
avec ton teint de trop d'hivers
avec ton air de princesse en laisse
avec
au sud de ta bouche
des régions de guerre et
de paix

14

Je te vois dans un café
avec tes genoux de garde-malade
sous une table à chemise carreautée
et en sortant
tes fesses serrées dans tes jeans
de chez Liberty
détruisent des siècles de traditions
poétiques françaises

et moi je suis ici
bandit brûlé de l'amour:
cet amour qui court dans moi
comme un feu de forêt:
cet amour qui me court
comme un char de police
le long d'une route de la
noirceur d'un tableau d'école
après quatre heures:
cet amour qui fait un trou
dans mon âme comme Inco
fait un trou dans la terre:
cet amour dur et doux
en même temps
comme une chanson de Woody Guthrie

et
tu dors dans ton lit à Paris
et
je dors dans mon lit à Sudbury
et
nous sommes ensemble
nous sommes un dans l'autre
comme
un
casse-tête

POÈME QU'ANGÈLE A TROUVÉ DRÔLE

(pour plus de détails sur Angèle
voir **L'espace qui reste,** p. 89-90)

Les amoureux sur l'écran n'ont jamais
de boutons dans le dos.
Ils sont beaux et unidimensionnels.
Ils ne cherchent jamais leurs mots sous
l'oreiller.

DANS L'APRÈS-MIDI CARDIAQUE

Dans l'après-midi cardiaque
un homme perd son souffle
sur le plancher d'un
grand magasin.
Un policier est agenouillé
près de lui, essayant de
capturer sa respiration
glissante et la remettre
à sa place.

L'homme est en train de se
désouffler lentement, comme
une balloune qu'on a oubliée
du party de Noël de l'année passée,
sa vie se déversant de sa bouche
pour se mêler aux néons collants
de la ville, aux
visages couverts du saranwrap
translucide de la peur,
visages suants et prisonniers
derrière le maquillage.

Et l'air autour de lui
se vide comme il
se remplit
ne laissant que le silence
et l'éclairage
blême comme
quelqu'un qui vient de voir
un revenant.

Et le policier se lève finalement
ses genoux craquant avec un bruit
de pistolets dans un film
sans budget.

L'homme est mort
on dirait qu'il dort
on lui ferme les yeux et
dans l'après-midi cardiaque
la vie continue
avec toute la joie et la tristesse
d'une striptease qui fume une cigarette
entre deux shows.

TALKING PEGGY'S LUNCH BLUES

Peggy's Lunch
Peggy's Lunch et la neige est la
même couleur que mon café.
Dehors, les Lada se reproduisent
comme des lapins.
Je ne reconnais plus mes amis.

Coles' Book Store
Dans le Coles' je fouille je feuillette
les livres en solde.
Je trouve un livre sur le sexe tantrique
avec dessins très détaillés.
Une des femmes a les seins et les fesses
exactement comme une femme
que j'ai connue.
J'échappe le livre comme s'il était
soudainement devenu très chaud.
Je m'échappe du magasin en hurlant
dans mon coeur comme un chien
frappé par un char.

Plus tard dans la même ville
Derrière moi
un jeune homme à vieille voix:
«you couldn't spare 50 cents could ya?»
La neige tombe facile sur la ville
docile.
L'éclairage se fait enfargeant.
J'attends la lumière verte.
Elle refuse de changer.
«you couldn't spare 50 cents could ya?»
Sa voix explose contre les vitrines
pleines de modes et de bebelles inutiles.

Sa voix disparaît dans l'air crispé
de la rue Elm.
J'attends la lumière verte.
De folles gazelles gambadent à travers et
parmi les voitures.
La lumière devient verte.
Je saute par-dessus la slush et les
vieillards qui s'y sont accumulés.

Bilan
Peggy's Lunch et il fait froid.
Danse zombie du temps des fêtes.
Bagages saignants du voyage éternel.
La terre est ronde.
Le monde est platte.
C'est pas l'inspiration qui manque.

DEVINETTE

J'ai 15 ans.
Je me suis sauvé(e) de chez
mes parents.

Le ciel est bleu.
Je me cherche sur
la pointe des pieds.

La porte qui se ferme
derrière moi
comme un testament.

Ma mère qui pleure.
Mon père qui crie.
La télévision qui leur
donne des conseils.

Le ciel est bleu.
Des nuages dorment sur
l'horizon.
C'est l'été.

J'ai 15 ans.
Je me suis sauvé(e) de chez
mes parents.

Qui suis-je?

HUW 102 (ONTARIO)

HUW 102 (Ontario)
vient d'essayer
de me tuer.

Un vieux gris
chapeau de cowboy
dans une station wagon
grosse et lâche
comme un paquebot.

On a dansé ensemble
un moment:
j'ai vu le blanc de ses phares
j'ai vu le soleil dans ses pores et
au ralenti
comme à l'Univers des Sports
je me suis rendu à la
sécurité du trottoir.

Pendant un grand bout de temps
je suis resté planté là comme
un parcomètre.
Dans mes yeux il y avait
une notice de violation.
Mon coeur se débattait comme
une petite bête laissée pour morte
sur le bord du chemin.

22

J'étais soudainement très heureux
de vivre.
Je tenais à la vie comme Keith Richard
à sa bouteille de Jack Daniels.
Je voulais payer un verre à toute la terre
et après, coucher avec.
Je voulais lui faire des tas d'enfants
qui écriraient des vers sur la nature
et feraient d'autres tas d'enfants
qui domestiqueraient la voiture et
inventeraient le cheval.

Ceci n'a pas duré longtemps.
Une fois l'euphorie passée
je me suis sauvé dans la nuit du jour
je me suis faufilé entre les sapins humains
je me suis sauvé en maugréant
en mastiquant la gomme de mes mots
comme la petite bête que nous sommes tous.

RIGODON SUR UN AIR DE
BO DIDDLEY

La belle princesse
installée sur le trône
attend son prince
en feuilletant une revue de
mode.

Le prince arrive
il rentre par la fenêtre
sur son Pégase à gaz.
Princesse échappe sa revue
et se jette dans ses bras.

Le prince droppe aussitôt
ses culottes et
avec son épée épaisse
met la princesse qui
met la table.
Elle gonfle comme une
montgolfière
monte au plafond et
éclate
pleuvant des petits bébés roses
partout sur le plancher.

Le prince est très fier
et finit sa bière
regardant avec un sourire cigare
sa femme la princesse
qui balaie les bébés
en chantant doucement
dans sa robe fleurie
au coton.

24

CORNWALL

1. LA CHAMBRE 24 DE L'HÔTEL ROYAL À CORNWALL

juste un miroir.

Mon nom est dans
le journal de
Cornwall.
Mon corps est dans
la chambre 24 de
l'hôtel Royal.
Pour me le prouver
je lève mon regard
de ce poème et je
le vois dans le
miroir.

2. UNE AUTRE FACETTE DU POÈTE À CORNWALL

Un poète licencié sous
la LCBO lit à
Cornwall le 23 mars
1980,
dimanche des paumés.

Le poète est tellement
cassé
qu'il arrive au
récital en
morceaux.

3. LA GAME DE HOCKEY SUR LE PARKING
DERRIÈRE L'HÔTEL ROYAL
À CORNWALL

C'est une vraie
game.
Des Gretzky et des
Lafleur et des Pal
mateer en jeans
et en runnings se
battent pour la
rondelle, se
battent pour un
but dans la vie,
le soleil leur seul
arbitre.

4. LA POÉSIE À CORNWALL

Il est maintenant
3h38 et
j'ai écrit trois
poèmes sur
Cornwall.
C'est-à-dire un
poème à toutes les
quinze minutes
depuis
2h46

Pas pire.

26

5. DIMANCHE À CORNWALL

C'est dimanche à
Cornwall.
La messe est finie.
Il fait beau et
chaud.
Le monde se promène
à pied ou en
voiture.
Le monde en voiture
fait crier ses
pneus.
Le monde à pied
les regarde faire.

6. LAST CALL CORNWALL

Dans la taverne de
l'hôtel Royal
on se perd et on se
retrouve et on se
perd comme des
clefs de char.

Les jeunes cherchent
leurs mères dans
les machines-à-boules
et les vieux cherchent
la mer dans leurs
verres.

Tout le monde se cherche
de l'ouvrage.

7. CORNWALL TOUT SEUL

Il y a
tout à dire
et
rien à faire.

SANDY

Je cherchais les secrets de l'univers
dans mon microscope.
Elle me montrait les secrets de sa chair
dans le garage d'en arrière.

On grimpait dans l'arbre
du bien et du mal.
Le feuillage se serrait sensuellement
contre nous.
Elle me montrait ses seins.
Ils étaient fermes et ronds comme
des oranges Sunkist.

Ô Sandy
mon premier péché mortel
ma première viande du vendredi
je pense à toi dans mes prières du matin.
Tu me fais penser aux femmes dans
les poèmes de Leonard Cohen.

Je cherchais Dieu sous l'oeil aiguisé
de mon microscope.
J'ai trouvé mieux.

TIMMINS

Quand j'étais à Timmins
il y a très longtemps
le train partait toujours
sans moi
prenait mes bagages
et me laissait seul
debout sous le ciel gris
comme un feu avec
une jambe de bois.

Je revois les rues de Timmins
souples et serrées
sous la pluie.
Et la pluie est pleine
de mitaines perdues
la pluie est pleine
de foulards morts
de parapluies dépaysés
de souvenirs broyés
de photos qui rient jaune.

Je revois la rivière Mattagami
noire et profonde et
tranquille et troublée
sous des nuages en
laine d'acier rouillée.
La rivière Mattagami qui
se glisse avec un
silence indien sous
l'été des blancs.

Quand j'étais à Timmins
il y a très longtemps
je vivais dans moi
comme dans une mine
comme dans la
mémoire noire
d'une mine
remplie d'émigrants
enterrés vivants.

Je revois ma mère
fière comme un conifère
et catholique comme
un chemin de campagne
une vraie sainte
avec une prière sous
chaque assiette et
un pâté chinois qui
fume comme une pagode
où il faut enlever
ses souliers avant
d'entrer.

Je revois la lumière sale
qui se renverse dans
notre cuisine
et le décor solarisé
par la solitude
et le soleil comme
un OVNI au-dessus de la maison
et le béret blanc du ciel
canté sur
la tête de la terre
et à travers tout ceci
un sourire

qui me grimpe la jambe
la-bébite-a-monte
la bébite-a-monte
jusqu'à mon sexe
emmitouflé.

Quand j'étais à Timmins
il y a trop longtemps
je rêvais de devenir
mécanicien de l'univers
de me mêler de mes affaires
comme le gars au garage
qui veut rien savoir
mais sait tout.

Tout ça pour m'apercevoir
beaucoup plus tard
aujourd'hui
ce soir
que j'en perds des bouts
un peu comme un joueur de hockey
perd sa rondelle
(tout ce que je sais c'est
qu'elle est encore sur
la glace)
et tout s'efface et
tout ce que je sais c'est
qu'il y a encore des poèmes et
un garage quelque part qui
m'attendent
un garage ouvert 24 heures
entre Timmins et
maintenant.

NICOLE

Elle m'a laissé planté
dans la cour de l'école Saint-Antoine
comme un arbre frappé par la foudre.

Je l'ai attendue toute l'après-midi
avec l'argent pour le film qui se
déteignait sur mes mains moites.

Elle m'a laissé sur le bord du chemin
sous le soleil de Timmins comme
une vieille batterie de char.

LE POSTER DE PATSY GALLANT

Premier essai:
Le poster de Patsy Gallant
dans notre chambre de bain
me regarde prendre un bain.
Lorsque je m'étends dans
l'eau, ses yeux sont fixés
directement sur mon pénis
qui flotte qui dort
comme un poisson doré dans
son aquarium...

Deuxième essai:
... ses yeux rouges
    sa robe rouge
    sa jambe levée...
    un bout de robe qui bat
    dans un vent de studio...

HÔPITAL DES COEURS BRISÉS

Dans sa chambre d'hôpital
elle dort.
Les calmants lui tricotent
un rêve.
Elle s'abrille avec.
On voit sa respiration
son ventre qui
monte et descend
monte et descend
et elle dort et
elle est dans elle
comme dans un cocon
comme dans un poème.

Durant ce temps
son homme gagne son pain
et perd la tête.
Il conduit soûl et seul et
ce n'est pas sa voiture et
l'amour ne veut plus rien dire
sous la pluie de minuit et
le paysage le dépasse
comme la poésie et
ce n'est pas sa voiture
ce n'est pas sa vie
ce n'est pas lui qui
conduit de
plus en plus vite
chaque courbe un jeu
de roulette russe et
les pneus qui crient à
chaque fois
comme une femme -

Elle se réveille
en sursaut.
Elle est encore à moitié
endormie.
Les infirmières ont des
garde-fous dans les
yeux.
Il y a un soap
à la télévision.
En même temps que
l'enfant dans son ventre
donne un coup de pied
le téléphone sonne.

C'était juste un rêve niaiseuse
qu'elle se dit
en répondant.

36

SATORI À QUÉBEC

Ceci est définitivement
une histoire d'amour.
Le sang du verbe
tache la phrase et
Claude dit
dans un nuage au-dessus
de sa tête:
«parlez-moi pas de
folie ici, ils
vont tous nous
enfermer!»

Il prend son saxophone
par les hanches et
valse avec
parmi les tables
de l'Ostradamus.
Les clients, bronzés par
l'éclairage dru et existentialiste,
sourient aussi cruellement
que possible et
regardent leurs mains
sur les tables.
C'est
Georgia on my mind
Québec on my mind
quelqu'un on my mind
quelque chose on my mind
joué par Claude Béland
son saxophone crache
et bave et hurle et

pleure et malgré tout
chante à travers ses larmes
comme une paysanne qui
donne naissance à
un pays.

Maurice observe tout ceci
avec le calme d'un
cowboy.
Son alto est couché en
carabine sur ses
genoux.
Il attend son tour tandis
que Charlie Parker est
malade dans les
toilettes.

Simon le contrebassiste
a vendu son char
perdu sa maison sa femme
ses enfants
perdu sa job avec
la Symphonie de Québec
parce que Beethoven
lui parlait dans sa tête
comme une abeille
à la recherche de
fleurs.

Je suis dans le cri de Claude.
Je suis dans le calme de Maurice.
Je suis dans la tête de Simon.
Je me casse une bouteille de
champagne sur le front comme

sur la proue d'un bateau et
l'air applaudit.
Je glisse vers le voyage.
Je flotte avec un sourire
transatlantique.

Je me retrouve sur
la rue Saint-Jean
et il est aucune heure
et il fait tous les temps
et les vitrines sont
en feu
et la rue Saint-Jean
est une rivière de bière
et tout est en vie
tout bouge
tout est rouge
et
le soleil est à cheval
sur les
Laurentides bleues
et les montagnes
ont
une montée
de lait
et
le ciel
se nourrit.

(pour Jacques «Duluoz» Auger,
où qu'il soit)

BICYCLE VAGUE

Bicycle vague (1)

En me rasant
je me revois sur le
bicycle que
mon frère aîné
m'a donné
il y a longtemps de ça à
Timmins Ontario

c'est l'été
le soleil est
quelque part
derrière moi

je me coupe
en me rasant

Bicycle vague (2)

Sur mon bicycle le long
d'une rue de Timmins
un barbot me rentre
dans bouche.

Au collège Sacré-Coeur
un professeur essaie de me faire
avaler le barbot
sur ma feuille d'examen.

L'AÉROPORT DE SUDBURY

Un peu passé
3 heures du matin

Je pense à la mort
elle pense à moi
dans sa chambre
d'hôtel

Je suis seul
comme un roi
Je suis sur le côté
comme un pétrolier
blessé
Des oiseaux asphyxiés
collent à mon corps
sous un ciel
de viande hachée

Je suis seul
Je bois mon whiskey

Je suis vide
comme l'aéroport
de Sudbury
à 6 heures du
matin

un peu passé
3 heures du
matin

PARTI POUR LA GLOIRE

Ils sont là encore avec leurs caméras
et leurs sourires et leurs contrats
roses et
ma bière.
Ils sont là
installés dans mon appartement avec
toute la délicatesse du mur de Berlin.
Ils disent qu'ils ne peuvent pas me payer
mais que ça sera bon pour ma carrière.
Je m'imagine tout à coup Jacques Boulanger
qui récite mes poèmes aux Beaux Dimanches.
On m'invite à Rencontres, on traduit mes chansons
en anglais pour Ginette Reno, on m'offre
le Crachoir d'Or de la Littérature.
Je me réveille et ils sont encore là.
Je suis encore là.

Il y en a un qui me demande
ce que je sais de mes ancêtres.
D'après ce que je me rappelle de mon histoire
du Canada, je lui dis, c'était
une gang de soûlons qui ont défrisé la terre
et tué tous les Indiens.
Oui je suis fier.
Je suis fier que j'étais pas là.

Ils me trouvent drôle et me passent
une autre bière.
Y paraît que le poète est drôle quand
il a bu.
C'est eux les anthropologues de la

parole. Ils ont le tour de tourner
tout ce que tu dis en singerie.
Ils veulent filmer ma jungle, mon feuillage,
mesurer le panache de ma poésie.

Ils veulent photographier ma «douleur»
pour mieux la «comprendre».
Ils veulent la documenter et la répandre
comme de la confiture sur leurs croissants.
Je sens soudainement un léger picotement
dans le califourchon,
l'esprit de mes ancêtres traverse
l'espace millénaire des siècles,
leurs voix sont pognées dans ma gorge,
je gronde comme l'Incroyable Hulk,
ma chemise est déchirée et
je me réveille sur le bord du chemin.
«Ooooops,» je bégaie comme Dollard des Ormeaux,
«je commence à être paqueté...»

Tchin Tchin à mes ancêtres.
Il n'y a pas de langue pour
le désespoir ce soir.
Il n'y a pas de pays pour
l'espoir ce soir.
Il n'y a plus de pays dans mon verre
ce soir.
La chaleur confortable de l'indécision.
De l'incision.
Je me lève et, traînant tous mes ancêtres
avec moi en châle sur mes épaules,
je titube parmi les fils et les lumières
et les bières vides jusqu'aux toilettes.
Je pisse,
parti pour la gloire.

UNE PEINTURE PAS FINIE

Enveloppée de rires et
de larmes
elle s'étend sur le divan
comme une peinture
pas finie.

Feuilletant le recueil
de mes poèmes que
je lui ai donné
je tombe sur une page
où elle a noté
quelques numéros de
téléphone.

Je jette un coup d'oeil
par la fenêtre.
Ses amants passés et
ses amants futurs
conduisent des chasse-neige
dans la nuit.

HEARST

1.
Il fait froid à Hearst.
La neige grimpe dans
les rideaux.
(arbres)
Un homme dans une maison
se vide un whiskey.
Un skidou tourne au ralenti
dans son coeur.

Une chanson triste passe
à la radio.
L'homme fait les cent pas
dans la cuisine
de sa maison.
À un moment donné
son poing part comme
un douze et
fait un trou dans
le mur.

2.
Plus tard sur la Main
un homme écarte la foule
comme un noyé
les vagues.

On le court avec un
extincteur.

Sa chemise de bûcheron
est ouverte et révèle
une poitrine en feu.

3.
À la gare centrale
il y avait des corneilles
de la grosseur d'un
avion de brousse et
de la noirceur d'une
soutane.

4.
Le long de la 11
entre Hearst et
Kapuskasing

une voiture sport
écrasée non
chiffonnée comme
le papier d'emballage
d'une barre de chocolat

un camion
en poignard
dans la forêt

toutou blanc
dans la
neige rouge.

5.
Mes yeux tachés
de sang sont
témoins de la
rigueur de
Hearst.

Je suis dans le wagon-bar
de l'ONR et

46

ça roule ça rock
ça se soûle
ça se frôle et
tout devient drôle et
triste en même
temps.

Exemple:
le cuisinier a l'air de
Claude Blanchard et
la nourriture
aussi.
Autre exemple:
le Grand Manitou
est un gars de
bicycle.
Ou encore:
des mains d'hommes
serrent des
coeurs de femmes
comme des
boules de bowling
le vendredi soir.

6.
Une tempête folklorique
fouette les flancs
du train.

À perte de vue
une barbe d'arbres
cache un
sourire sans dents.

UN MYSTÈRE PARMI
TANT D'AUTRES

Nous sommes au septième
numéro 710
au septième ciel
de cette ville affamée
d'amour

La lune est notre
lampe de chevet

Un cri de
l'appartement
d'en haut

Je baisse la radio
et
j'écoute

SAINTE COLÈRE

Je sors d'un parking avec
un char volé
je suis soûl et je ne sais plus
qui je suis ce qui m'empêche
de me sentir coupable
Je frappe plusieurs autres chars
en sortant
je me lance dans la circulation
tout croche
ricochant d'un coin de rue
à l'autre comme
sur une table de pool gigantesque
Je conduis avec une bouteille entre
les deux jambes comme l'amour
comme l'Amérique en Amour
à Sudbury Ontario Canada et
j'allume la radio et c'est
une grande vedette de la chanson
qui raconte en riant qu'elle a
déjà joué à Sudbury ou «quèque
chose comme ça»
et c'est là que mon char roule
c'est là que je capote comme
dans le temps qu'il se passait
«quèque chose» au Québec et
je pousse mon char comme je
pousse ce poème
je fais crier mon criard comme un
huard
et je pense Fuck la Poésie
je viens d'un pays où engagé veut dire

que tu t'es trouvé une job
J'ai les yeux cernés comme Nelligan
en écoutant Bob Dylan et
je suis rendu en ville
je ne me cherche pas une job
je cherche un liquor store
parce que je suis assez smatte
pour savoir que pain c'est pain
en anglais et que je roule vers une
vitrine contenant une vingtaine de
téléviseurs montrant
le Tiers Monde en famine -
(et c'est une sainte colère qui
m'envahit
c'est une colère enceinte qui
sort de chez le docteur et embarque
dans son char
son char dans mon char et
elle pleure en conduisant sous le
soleil impitoyable du printemps
avec les essuie-glace qui
marchent qui grincent contre le
pare-brise de ses yeux) -

et je me rappelle encore plus soudainement
que je ne sais pas conduire et
je lâche le volant en m'envolant
vers la vitrine
Je ferme les yeux et dans ma tête
je vois deux camions-remorques
le long d'une autoroute enneigée et
calme
qui se frappent avec
le bruit sourd et assourdissant de
Bugs Bunny frappant le fond
de la proverbiale piscine vide -

MAGGIE

Elle parle comme un disque
gondolé.
Elle se commande une Molson et
me raconte ses achats sans
s'occuper si elle me dérange ou
pas.
Je bois ma bière
je mange mon spaghetti
et je la regarde tomber
morceau
par
morceau
dans elle-même comme
un édifice en flammes.

Elle parle comme un disque
grafigné
(elle reste accrochée entre 2 chansons)
Elle commande une autre Molson
et dans la Mer Morte de ses yeux
il y a une marée qui rentre
qui sort qui rentre qui sort
qui ne peut pas se décider.

On a été voisins dans le temps
partageant l'escalier de secours
du 270 Elm Ouest.
Elle donnait du lait à boire à ma
chatte dans
une tasse en tupperware verte
elle travaillait pour Land Reclamation
elle revenait chez elle couverte de
chaux et
bronzée et belle et blonde et
fatiguée.

Maintenant elle est devant moi et
elle griche comme une radio
qui n'est pas sur le poste en
me racontant ce qu'il reste
de sa vie -

elle part sans payer sa
bière
me laissant avec un
poème
pas fini -

HÔTEL CHELSEA AVRIL 1978

1.
La fille avec ses
petits seins qui
se balancent comme
des ballons météorologiques
dans l'atmosphère de
l'oeil.

2.
Elle vient à moi
en rondelles de
couleurs.

3.
Tous ces miroirs dans
toutes ces chambres.

4.
Le soleil un trou de balle
dans la vitre du
ciel.

5.
Henry Miller
dans l'ascenseur.

«These elevators are slow,
aren't they?» il me dit.

Il est avec la fille
du numéro 1 de ce poème.

Il ne m'a pas
reconnu.

54

L'ÉCRITURE C'EST UNE DISCIPLINE

I
Parfois je suis doué mais
la plupart du temps
je suis possédé.

Parfois je suis inspiré mais
la plupart du temps
je suis aspiré.

Je suis peut-être le poète du quotidien
mais il y a des jours où
je ne sais pas quoi faire de ma peau
(ou de celle des autres).

II
Chaque poème est une cabane près d'un lac
et la cabane est toute petite du dehors
mais grande en dedans
et le lac est un sac de ciel et de
soleil et de pluie et
pourquoi pas?

Dans la poésie tout est possible
tout est important
tout est aventure
comme Christophe Colomb
qui fait gronder sa Ferrari
au feu rouge.

III
Elle me demande pourquoi je n'écris jamais
de poèmes heureux.
Je perds soudainement le goût de la poésie.

IV

Je me rappelle la poétesse qui soupirait
mes poèmes par coeur dans mon coeur
tandis que je lui faisais l'amour
dans la position missionnaire.

V

Parfois je suis un bon poète mais
la plupart du temps
je suis dans un bar.
Je vais finir comme Serge Gainsbourg
avec un cerveau en Gainsburger.
Mon cher Serge
mon zizi est nulle part
ma tête est dans Liaison.
Je suis sur le bien-être et
je rêve aux fesses d'anciennes blondes.
Je suis obligé d'emprunter le stylo du barman
pour écrire ce poème.

VI

Chaque poème est une caisse de bière
dans une cabane près d'un lac et
le lac est plein de poissons morts et
les vagues sont des petits moutons noirs.

La Ferrari de Christophe Colomb
a fait une crevaison.

Pourquoi pas?

VII

Mon ami le poète Robert Dickson me dit
L'Écriture C'est Une Discipline.
Je me vide un autre scotch et
je me concentre.
Il se vide un autre scotch et
me regarde.
La réalité nous regarde.
La réalité de nos regards.
Nos regards hagards.
Nos regards hangars.

VIII

Des douzaines de poèmes collent à mon corps
comme des macarons de Radio-Canada.
Toutes sortes de choses me passent
par la tête
comme un sifflement de balles.
Toutes sortes de choses me passent
par la tête
mais ce n'est pas de la poésie.
Je suis flagellé d'images.

IX

Les Blue Jays de Toronto me lapident
à coups de rapides
sous la pluie.
Je cours vers toi et quand j'arrive
tu n'es plus là.
Je ne sais plus où tu commences
et le poème finit.

X

Ô que je suis beau quand
j'écris un poème mais
le barman n'est pas du même avis.
Il attend que je lui redonne son stylo
pour écrire ma facture.

Je demande un autre scotch.
Le verre de scotch n'est pas un poème.
Je le tiens dans ma main.
Il a la solidité et la résilience
de l'arbre qui a tué
Albert Camus.

L'INFLATION À ST-FIDÈLE

Diane dit
que le pain rapetisse
à mesure que
les jours avancent.

Elle recule
de quelques pas
et disparaît.

Au-dessus de la maison
les nuages sont gras &
passent à
90 milles à l'heure.

LATE SHOW

Le siècle est presque fini.
-10 degrés Celsius dehors.
Les moutons du mois de mars
dansent dans la cour d'en
arrière à travers des restants
de machines à laver, de neige
sale, de
noirceur
palpable.

Une lune de fromage Kraft
plane au-dessus de la ville.

Le siècle se berce et roule
et roule et berce
comme un rouleau compresseur
patinant sur la glace printanière
d'un lac sans fond.

De l'autre bord de la planète
le soleil luit
comme une Timex Acutron
sur le poignet poilu du ciel.
La moitié du monde dort ou
se met
tandis que l'autre moitié
meurt de faim.

Une femme Sans Nom lance
méthodiquement
verre après verre
contre les murs de sa
cuisine anonyme.
Les enfants jouent à la guerre
dans les escaliers.
Dans la salle de bain
GI Joe flotte à plein ventre
sur l'eau mousseuse.
La nuit est ouverte sur
la dernière page du TV Hebdo.

Le siècle est presque terminé.
Le cycle devient un bicycle
bâti pour deux.

Pas loin d'où s'écrivent ces mots
un jeune homme et une jeune femme
sortent d'un club aux
petites heures du matin.
Ils sont beaux et lisses et
luisants comme les lézards
des Galapagos.
Le brouillard est parfait.
Un saxe en sourdine.
Ils prennent un taxi jusqu'à
la fin du monde.

Générique et
le bruit du film qui
débarque du rouleau.

UN A-B-C DE L'AMNÉSIE

A.
Je m'ennuie de quelque chose
mais je ne me rappelle
plus de
quoi.

B.
Je suis debout dans le
milieu de la cuisine.
J'ai laissé une cigarette
allumée quelque part mais
je ne me rappelle plus
où.

C.

LE DERNIER POÈME D'AMOUR

-1-

Je me rappelle des trains
je me rappelle des trains qui se promenaient
de droite à gauche à droite dans les grandes
fenêtres de ton grand appartement sous le
petit ciel de Sudbury.

Deux ans si c'est pas plus et je n'oublie
pas le goût de ton cou le goût de ta peau
ton dos beau comme une pleine lune dans
mon lit.
Le goût de te voir et le coût de l'amour
et nos chairs hypothéquées jusqu'au dernier
sang.

Je me rappelle des trains qui ont déraillé
dans tes yeux.
Le nettoyage a été long.

-2-

Dans le restaurant on vieillit autour
d'un verre de vin.
Dehors le scénario est toujours le même:
une banque sur un coin une église sur l'autre.
L'amour nous évite comme quelqu'un qui
nous doit de l'argent.
Tu es en face de moi et
tu es en feu dans moi et
je te désire.
Ton manteau de fourrure ton sourire
ô animal de mes réveils soudains.

Ensoleillée mais froide
ta beauté s'étend comme des violons
sur la neige brûlée.
Tes yeux trempes
tes yeux trompent.

Le silence se couche entre nous.

-3-
Cette photo de toi tu es quelque part
dans ce brouillard de couleur tu
pars dans ton char ton oldsmobile
mouillée et rouillée c'est évidemment
l'automne ou peut-être même
le printemps c'est une mauvaise photo
du bon vieux temps
un polaroid trop près de la mémoire.

Tu te peignes dans le rétroviseur
je te colle sur mes paupières pour
te voir quand je dors
et soudainement tu es dehors avec
le soleil dans les flaques d'eau et
les jeux du jeune et tu
es aussi belle en souvenir que dans
la vraie vie et

nous sommes les seuls survivants
de la guerre
et ceci est
le dernier poème d'amour
sur la terre.

ON

1.
On cherche la vérité
sous les assiettes
mais on ne trouve que
le pourboire.

2.
On cherche la sortie de
secours tandis que
la radio raconte des
calomnies.

3.
On est surpris d'avoir vécu
passé l'âge de
trente ans.

4.
On est comme des cadeaux
qui attendent que
l'arbre de Noël
pousse dans le salon.

PAILLASSE

1.
Paillasse est né Denis Frénette à Saint-Marc des
Carrières, comté de Portneuf, Québec.
Lorsque je suis arrivé, invité en vedette américaine
par le bien-être social québécois, il était déjà
très Paillasse.
Il était déjà trop tard.

Sa mère était typiquement canadienne-française.
On ne la voyait jamais. Elle ne sortait que pour
aller à la messe ou pour accrocher et rentrer
le lavage.

Son père avait un restaurant.
Dans le restaurant il y avait des machines-à-boules
et un juke-box sur lequel on passait des après-midi
de trente sous à faire jouer «Hey Jude» et
«Suzie Q».
Son père ressemblait comme deux gouttes d'eau à
Lino Ventura.
Quand il parlait c'était comme voir et entendre
Lino Ventura doublé par Yvon Deschamps.

2.
Paillasse jouait de la guitare avec son ami Jean
dans le village de Saint-Marc des Carrières.
La musique sortait des fenêtres comme l'odeur de
tartes au sucre fraîches du fourneau.

Une fois, Paillasse a fait une traduction de
«My Sweet Lord» de George Harrison.
Il l'a intitulé: «Mon Seigneur Sucré»...
Et à la fin de la chanson, où Harrison récite
les maints noms de Krishna, Paillasse récitait
les maints noms des familles de
Saint-Marc des Carrières:
«Hare Tremblay, Hare St-Onge, Hare Cloutier,
etc.»

Une fois encore, Paillasse a organisé un «jam»
dans cour d'en arrière de son père.
Le bruit s'est répandu comme la rage dans les veines
du village.
Bientôt la cour était pleine.
Il y en avait qui avaient apporté de la bière.
Il y en avait qui étaient venus avec leurs blondes.
Tout le monde était assis par terre, sur le gazon
aux cheveux courts du père de Paillasse.
C'était le Woodstock de Saint-Marc des Carrières.

Paillasse était l'Elvis Presley de Saint-Marc des
Carrières.
Dans ce temps-là, le rêve du rock & roll parcourait
les rues comme une maladie vénérienne.
Tout le monde l'avait attrapée mais avait trop
honte d'en parler.

3.
Paillasse sortait de l'ordinaire comme on sort
d'un bar après le dernier appel.
Paillasse passe le balai entre les machines-à-
boules dans le restaurant de son père.
Son père dort comme Lino Ventura à côté d'une
femme qu'il ne connaît pas.

4.
Paillasse. Monique Cloutier. Jean St-Onge.
Ces trois personnes ce sont ramassées, ensemble,
en appartement, dans la belle ville de Québec.
Je dis toujours la belle ville de Québec parce
qu'elle a toujours porté l'hiver comme une robe
de mariée.
Je voyais la robe de mariée qui tombait de ses
épaules, révélant le printemps, l'été, l'automne...

Je me rappelle un pot de confitures aux framboises
gros comme une canne de peinture, avec à peu près
le même goût.
Je me rappelle une grosse brique de fromage
Velveeta stationnée comme un autobus en plein
milieu de la table de cuisine.
Avec à peu près le même goût.
Je me rappelle Jean qui vend sa douze cordes pour
vingt piastres sur la rue Saint-Jean.
Je me rappelle Monique qui pleurait, seule et
femme, dans la mosquée de son corps.

Je me rappelle de rien.
Je me rappelle de tout.

Je me rappelle des mains de Paillasse.
Elles étaient des avions en délire, des avions à
la recherche d'une piste d'atterrissage.

5.
On était trop vrais pour être beaux.
On était trop beaux pour être vrais.

Jean et Monique et Paillasse sont allés au
Maroc.
Jean et Monique se sont mariés.
Paillasse et moi on a fini par partager un appartement
sur la rue des Zouaves, juste en face du
complexe G.

Paillasse devenait de plus en plus complexe.
Il devenait le complexe G, avec toutes ses fenêtres,
avec tous ses étages, tous ses états et tous ses
fonctionnaires pris sur l'acide entre deux miroirs;
il devenait comme tous les tiroirs pas ouverts du
complexe G.
Dans l'espace d'une semaine il s'est acheté une
guitare électrique et un amplificateur.
C'était son prêt étudiant.
Il a commencé à travailler le soir dans une brasserie
de la rue Saint-Jean.
Il vivait sur le speed et la bière.
Il faisait ses paiements à la compagnie de finances.
Il continuait ses études.
Il était fatigué de la vie et la vie était fatiguée
de lui mais il continuait de vivre
juste par rancune.

6.
On se soûlait et s'ennuyait ensemble.
On se promenait avec une femme dans l'oeil et
une bière dans l'autre.
Il y avait pas assez d'amour dans le monde pour
satisfaire nos besoins.
On vivait notre vie comme des personnages dans
un roman de Kerouac, comme un roman écrit sur
un rouleau de papier de toilette dans une gare
centrale.

On était trop vrais pour être beaux.
On était trop beaux pour être vrais.
Le Woodstock de Saint-Marc des Carrières était
passé.
Hendrix était mort.
Morrison était mort.
Janis était morte.
Elvis vivait encore, quelque part.

7.
À Los Angeles les poètes s'entre-tuaient et les
oiseaux toussaient.
Je voyais mes amis devenir vides et tristes comme
des chantiers de construction sous la pluie.
Tout se défaisait.
Les fragiles bas de nylon de l'existence développèrent
des échelles irréparables.
On est tous partis, chacun de notre bord,
shrapnels humains d'une époque explosive.

8.
La dernière fois que j'ai vu Paillasse, il était
straight comme une ligne blanche sur un
highway.
Je pense qu'il s'est endormi en fixant la ligne
blanche trop longtemps.

9.
Paillasse dans le Canadian Tire.
Il regarde les fusils rangés comme des soldats
derrière le comptoir.
«Combien pour celui-là?»
On lui dit un prix.
«Quel est le moins cher?»
On lui montre.
«Est-ce que c'est pour toi?» on lui demande.
«Non, c'est pour mon père,» il répond, «c'est
pour sa fête...»
«Pourquoi un fusil?..»
«Parce qu'il ressemble comme deux gouttes d'eau
à Lino Ventura,» il répond en souriant.
Le sourire de Paillasse était un boulevard sur
lequel on pouvait se promener longtemps sans
jamais rencontrer la même personne.

10.
Paillasse est assis dans son appartement.
Il fume une cigarette.
Il ne la finit pas.
Il l'écrase dans le cendrier.
Tonnerre sec dans le ciel de la belle ville
de Québec.
Le zen inutile des joueurs de cuillères sur
les coins de rues.
Paillasse regarde le fusil qu'il berce sur
ses genoux.
Il sourit comme s'il venait de reconnaître
quelqu'un qu'il n'a pas vu depuis longtemps.
Il sourit parce que ses mains-avions viennent
enfin de se trouver une piste d'atterrissage.
Il sourit parce qu'il vient d'avoir le O.K. de
la tour de contrôle.
Il finit son verre de fort et le place ô si
doucement sur la table près de lui.

C'est l'Altamont de Saint-Marc des Carrières.
Le goût de l'acier comme un guidon de vélo
sous la pluie.
Un éclat de lumière comme un éclat de rire
au milieu de la nuit.
Noirceur.

11.

Noirceur.

On frappe à une porte.

Silence.

On frappe plus fort.

Les lumières s'allument et on voit un appartement.

Jean se lève, met ses shorts et va répondre.

C'est deux grosses polices.

«Oui?» dit Jean.

«Connais-tu un Denis Frénette de telle adresse?»

«Oui...» dit Jean.

«Il est mort cette nuit. On voudrait te poser
quelques questions...» dit la même police.

Il y a toujours deux polices: une qui parle et
une qui dit rien.

«Christ!» dit Jean.

«C'est juste routine, tu sais.. euh.. nous autres
...euh...»

«Christ!» dit Jean, plus fort.

Derrière lui, on voit Monique qui s'habille.

«Qu'est-ce qu'y a?» elle demande.

«Christ!..» dit Jean...

12.
Les plusieurs morts de Paillasse s'agitent et
s'accumulent comme une algèbre anxieuse sur
l'ardoise de l'histoire.
La chambre, l'espace même où je suis est
soudainement brassé de gauche à droite comme
si quelqu'un avait bousculé le caméraman
dans ma tête.
J'entends Elvis qui chante «Love Me Tender»
dans la nuit noire et blanche du bon vieux temps.
Il s'accompagne, tout simplement, d'une guitare
sèche.
Sa voix roule et roucoule entre les collines et
lui revient, comme un oiseau de chasse.
Il ressemble de plus en plus à Paillasse.

Achevé   Imprimerie
d'imprimer Gagné Ltée
au Canada Louiseville